LYON patrimoine mondial   patrimoine vivant

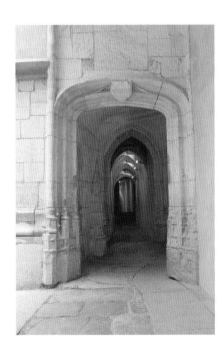

© 2008 Trois Châteaux Editions

Tous droits réservés pour tous pays

ISBN 978-2-918044-02-4

Une première version de ce livre a été réalisée
par Altaïr Editions sous le titre *Lyon au Patrimoine Mondial*

Réalisation : Gabrielle Ferreira

Traduction : Charles Hadley

Photogravure : L'Art Publicitaire Graphiscann

Impression : G. Canale & C. S.P.A.

info@troischateauxeditions.com
www.troischateauxeditions.com

LYON

patrimoine mondial patrimoine vivant

YVES NEYROLLES

Trois Châteaux
EDITIONS

Yves Neyrolles, born in Nantua, France, in 1942, is both writer and photographer.

Over the more than thirty years he has worked in the Lyonnais region, he has undertaken a portrait of Lyon, trying to pin down its architectural features, both ancient and contemporary, its events, its influence and its life.

He provided the illustrations for the Lyon Historical Site*'s application to be listed among UNESCO's World Heritage Sites.*

In the course of his travels, Yves Neyrolles has made portraits of other cities, including Venice, Rome and the casbah in Algiers. Yves Neyrolles accompanied and illustrated the writer Patrick Laupin's work on Les Visages et les Voix, le chemin de la Grand-Combe (3 editions from 1991 to 2008), and photographed Roger Planchon's last stage sets.

He is the author of Haute-Loire, terre de lave et d'eaux vives *(ALTAÏR Éditions - 2007).*

Né en 1942 à Nantua (Ain), Yves Neyrolles pratique l'écriture et la photographie.

Travaillant dans la région lyonnaise depuis plus de trente ans, il a entrepris de faire le portrait de Lyon, dont il tente de fixer les singularités architecturales anciennes et contemporaines, les évènements, le rayonnement, la vie.

Il a illustré le dossier de candidature du *Site historique de Lyon* pour l'inscription de celui-ci sur la liste du Patrimoine mondial de l'Unesco.

Au fil de ses voyages, Yves Neyrolles réalise d'autres « portraits de ville », notamment de Rome, Venise, Sienne, Lisbonne, Porto, ou d'Alger dont il parcourt depuis quelques années les ruelles de la Casbah.

Yves Neyrolles a suivi et illustré le travail d'écriture de Patrick Laupin pour *Les Visages et les Voix, le chemin de la Grand-Combe* (trois éditions, de 1991 à 2008) et photographié les dernières mises en scène de Roger Planchon.

Il est l'auteur de *Haute-Loire, terre de lave et d'eaux vives* (ALTAÏR Éditions - 2007).

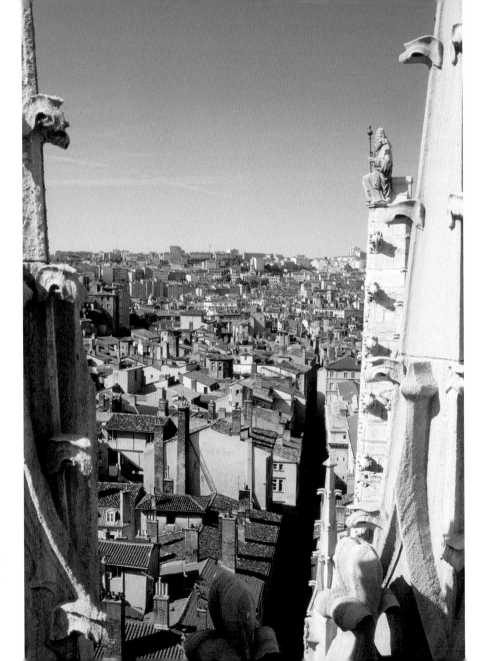

Toits du Vieux-Lyon et de la
Croix-Rousse vus du haut de
la cathédrale Saint-Jean.

*Rooftops in Old Lyons and
Croix Rousse hill seen from the
top of Saint Jean's Cathedral.*

Lyon today cannot help but take by surprise anyone that knows where to stop and look; one might be in Tuscany: here, the hillsides, there, the winding tributary lingering before it mingles its waters with those of the river flowing to the sea from the Alps, that full-grown bull tamed by dams and dikes upstream from the tall houses set along the banks, their window-panes set afire by the setting sun.

Small wonder that the Romans chose Lugdunum to set up a new colony, that would soon turn into a city, the City of the recently conquered Gaul, a Rome of the West, with aqueducts, theaters, an amphitheater, temples and palaces, where envoys from all three parts of Gaul came flooding in.

Yet what has not been said about Lyon, and what is not said yet today?

Think of Julien Gracq, one of the greatest French authors of the twentieth century. In the sixties, when he regularly went through here on his way south, he wrote that the city was nothing but a sort of "compulsory purgatory" for him before he could attain the Paradise of Provence.

Alphonse Daudet, for his part, described a foggy, smoke-blackened city to provide accommodations for the Litl'Un (le Petit Chose) and his family, who had come from a sun-drenched South to settle in the clammy surroundings of the Saint Nizier district. There are as many such examples as anyone could hope for.

Lyon aujourd'hui, quand on sait s'y arrêter, y flâner, ne manque pas de surprendre par cet air toscan que prennent, ici, les flancs de ses collines, là, une courbe de la rivière tardant à mêler ses eaux à celles du fleuve venu des Alpes, vieux taureau dompté à force de barrages et de digues en amont des hautes maisons qui se mirent le long des quais et dont les vitres simulent des incendies devant le soleil couchant.

C'est, du reste, sur le site de Lugdunum que les Romains choisirent d'implanter une colonie nouvelle, colonie qui devint vite une ville, la Ville de cette Gaule récemment conquise, une sorte de Rome occidentale, avec aqueducs, théâtres, amphithéâtre, temples et palais où affluaient en nombre les représentants des Trois Gaules.

Et pourtant, que n'a-t-on dit de Lyon et que n'en dit-on pas encore ?

Prenons un des plus grands écrivains français du XXe siècle : Julien Gracq. Dans les années soixante où il passait régulièrement par ici pour aller plus au sud, il note que cette ville ne lui était qu'une sorte de « purgatoire obligé » avant d'atteindre le paradis de la Provence.

Alphonse Daudet, quant à lui, décrit une cité brumeuse, enfumée et noire, pour l'accueil du Petit Chose et de sa famille, venus, eux, d'un Midi rayonnant, pour s'établir dans l'atmosphère humide du quartier Saint-Nizier.

Les exemples pourraient être multipliés à l'envi.

Though it is true that over the course of recent centuries Lyon was with some justice linked with the rather gloomy idea of drudgery (think of Baudelaire: "hard forced labor"), the imperious duties of income, of frugality, of scrimping and saving down to the last collar-buttons and candle-stump, nonetheless the whole city lit up on a rainy winter evening in an unexpected outpouring of fervor, to give thanks to her protectress Mary Mother of God, thus inaugurating, two centuries after promising to, a huge statue (covered with gold-leaf) on the steeple of the little chapel at Fourvière, that seemed to have been standing there forever, that is, since the birth of Christianity in Gaul.

Today, the long winter nights before and after that inescapable eighth of December provide a pretext for festivities in honor of Light. Light! Lumière is the name of a luminous Lyonnais family of talented inventors that brought to the world the first technique for color photography and the cinema.
In recent years, this city, so modest, even bashful compared to dancing, spendthrift, flamboyantly luxurious Paris, a city thoroughly on its guard in the back of the shop, while the capital is always enthroned in the show-window, this heiress, nearly forgotten despite a few glorious hours under the Renaissance kings and the two Napoleonic empires, this industrious and inventive city, clinging to know-how people come from far away to try to wrest from her, is awakening and has decided to make herself heard, to make a place for herself on the world stage and to play her part, fully and completely and freely.

S'il est vrai que Lyon fut au cours des derniers siècles justement associé à l'idée peu reluisante de la besogne, « labeur dur et forcé » (souvenons-nous de Baudelaire), du devoir impérieux de la rente, de l'épargne, de l'économie sur le moindre bouton, sur la moindre chandelle, c'est toute la ville qui, dans un élan inattendu de ferveur, s'illumine un soir pluvieux d'hiver pour remercier sa protectrice, Marie, Mère de Dieu, dont on inaugure alors, plus de deux siècles après s'y être engagé, une statue monumentale (couverte de feuilles d'or !) sur le clocher de la petite chapelle de Fourvière, dressée là, semble-t-il, depuis toujours, c'est-à-dire depuis la naissance de la chrétienté en Gaule.

Aujourd'hui, les longues nuits d'hiver, autour de cet incontournable 8 décembre, sont prétexte à des fêtes en l'honneur de la Lumière. Lumière ! Lumière est le nom d'une illustre famille lyonnaise qui a offert au monde le talent de ses inventeurs : le premier procédé de photographie en couleurs et le cinématographe.
Depuis quelques années, cette ville modeste, timorée même, en comparaison de Paris toujours pleine de danses, de dépenses et d'un luxe ostentatoire, cette ville d'arrière-boutique campée sur sa réserve quand la capitale trône sans cesse en vitrine, cette héritière mal récompensée des quelques grandes heures qu'elle a vécues sous les monarques de la Renaissance et sous les deux empires napoléoniens, cette cité industrieuse et inventive, repliée sur des savoir-faire qu'on vient de très loin tenter de lui ravir, ne voilà t-il pas qu'elle se réveille et qu'elle décide de se faire entendre, de se faire connaître, de paraître enfin sur la scène du monde et de jouer sa partie, pleine et entière, en toute liberté ?

One morning in December of 1998 came the supreme recognition, when Lyon's name was added to the prestigious list of UNESCO World Heritage sites.

Henceforth, she sallies forth to meet to world, giving of herself and of her lights and of her talents and of her infinitely varied landscapes, peopled by men and women of serious mien but welcoming.

When I came to live in Lyon, and little by little took up photography, I came to know better a city that at first rather put me off. A somewhat reserved student, I was quick to return home to the beauties, the cool and the quiet of the mountains and lakes of my native Haut Bugey region.

As the years have come and gone, and I have "travelled" more and more in the city's "continents", I have taken more and more photographs, trying to capture on film the understated intensity of life that lies concealed everywhere, under age-old stone-work as well as behind the steel coupled with glass of today; on occasion, I have managed to etch a few passers-by into the heart of the image, where their rhythm adds a welcome touch.

I live here, and I write and take photographs.

Un matin de décembre 1998, reconnaissance suprême, elle se voit inscrite sur la prestigieuse liste du Patrimoine mondial que dresse l'Unesco.

Dorénavant, elle a des rendez-vous avec le monde, elle s'offre, elle offre sa lumière, ses lumières, son talent, ses talents, et l'infinie variété de ses paysages, peuplés d'hommes et de femmes d'apparence sérieuse mais accueillants.

Étant venu vivre à Lyon et devenu peu à peu photographe, j'ai appris à mieux connaître une ville qui me parut d'abord plutôt rébarbative : étudiant resté quelque peu « sauvage », je n'avais de cesse de retrouver dès que possible la beauté, la fraîcheur, le calme de mes montagnes et de mes lacs, dans mon Haut Bugey.

Multipliant au fil des ans les « voyages » dans la ville même, à travers ses « continents », j'ai multiplié aussi les prises de vues, tentant de capter cette sourde intensité de la vie que recèlent de toutes parts la pierre ancienne comme le métal associé au verre d'aujourd'hui, et parfois, au cœur de l'image, j'ai pu inscrire quelques passants qui ajoutent avec bonheur l'affleurement de leur propre rythme.

Je vis là, j'écris aussi, je photographie.

Yves Neyrolles

La rive droite de la Saône

Sur la rive droite de la Saône s'est développée la ville ancienne, donnant au fil des âges deux des quatre quartiers du *Site historique de Lyon* : Fourvière où Lugdunum est fondée en 43 avant J.-C, et le Vieux-Lyon, centre économique, financier, religieux, administratif et artistique durant le Moyen Âge et la Renaissance. La ville se transforme alors, sous l'impulsion de riches négociants et de banquiers venus d'Italie. Des marchands de toute l'Europe sont attirés par les quatre foires annuelles. La cour de France fait ici de fréquents séjours, contribuant à la prospérité et au rayonnement de Lyon.

The ancient city grew up on the right bank of the Saône; over time, two of the four districts of the Lyon Historical Site *arose there: Fourvière, where Lugdunum was founded in 43 BCE, and Old Lyon, the economic, financial, religious, administrative and artistic center during the Middle Ages and the Renaissance. The city was made over, driven by the wealth of merchants and bankers from Italy. Traders from all over Europe came to the four yearly trade-fairs. The French royal court came here often, contributing to Lyon's prosperity and influence.*

The Gier aqueduct (early 2nd century BCE) brought water from the slopes of Mont Pilat to the hill at Fourvière to supply part of the needs of the Roman colony.

L'aqueduc du Gier (début du IIe siècle) permettait l'adduction, depuis les flancs du mont Pilat jusqu'à la colline de Fourvière, d'une partie de l'eau nécessaire à la colonie romaine.

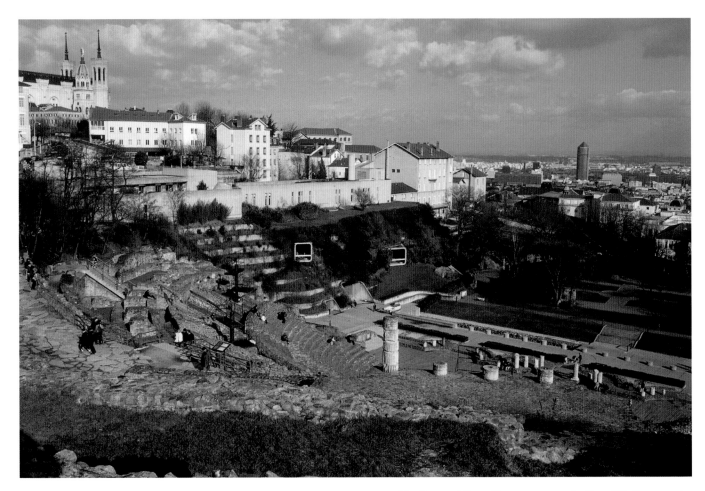

The Romans' Great Theater,
built into the hillside,
where today concertas and
other performances are put
on in the summertime.

Le Grand Théâtre romain,
adossé à la colline,
accueille aujourd'hui concerts
et spectacles durant l'été.

West face of the basilica at Fourvière, with its caryatid angels, sculpted by Paul-Émile Millefaut, and the Virgin's entrance into the Heavenly Jerusalem, by Charles Dufraine.

Façade occidentale de la basilique de Fourvière : les anges cariatides (sculpteur : Paul-Émile Millefaut) et l'entrée de la Vierge dans la Jérusalem Céleste (sculpteur : Charles Dufraine).

Overlooking the Rhône and Saône valleys, with the waters of the two rivers swirling together at its feet, the Forum Vetus gave its name to Fourvière, and was the heart of the city throughout Antiquity.

Later, with the blossoming of Christianity, religious buildings covered the hill, to be home to religious orders and then to missions that would take the name of Lyon around the world.

Although the cathedral, built eon the banks of the Saône between the twelfth and fourteenth centuries, is dedicated to Saint John the Baptist, Catholics in Lyon have always called upon the protection of Mary, the mother of Jesus, in whose honor a chapel was erected very early on, where the Roman temples had been.

On December 8, 1852, a monumental statue of the Virgin, standing on a Neoromanesque steeple, was unveiled. That evening, the whole town was lit up with little candles set on the windowsills. The date has ever since been a popular festival among Catholics and others alike.

The basilica was built at the end of the nineteenth century, funded by a subscription taken up among the Lyonnais, in gratitude for not having been invaded by the Prussians in October of 1870. The architect, Pierre Bossan, wanted to bring together all the varieties of religious architecture in one building, which explains the unclassifiable appearance of the structure. At his death, his associate Sainte-Maire-Perrin was obliged to take over work that, due to lack of funds, ultimately remained incomplete.

Dominant les vallées du Rhône et de la Saône, qui mélangent leurs eaux à ses pieds, le forum Vetus donnera son nom à la colline de Fourvière. Il est, durant toute l'Antiquité, le centre de la ville.

Plus tard, avec l'épanouissement de la chrétienté, la colline se couvre d'édifices religieux abritant des congrégations, puis des missions grâce auxquelles le nom de Lyon rayonne encore aujourd'hui à travers le monde.

Même si la cathédrale, édifiée du XIIe au XIVe siècle sur les bords de la Saône, est dédiée à saint Jean-Baptiste, les chrétiens de Lyon se sont depuis toujours mis sous la protection de Marie, mère de Jésus, pour qui une chapelle est dressée très tôt au sommet de la colline, à l'emplacement des temples romains.

Le 8 décembre 1852 est inaugurée une statue monumentale de la Vierge, dressée sur un clocher néo-roman. Ce soir-là, toute la ville s'illumine de petites bougies, posées sur le rebord des fenêtres. Cette date est devenue depuis lors une grande fête populaire, aussi bien pour les non croyants que pour les croyants.

La basilique, elle, est érigée à la fin du XIXe siècle, à la suite d'une souscription auprès des Lyonnais qui remercient Marie de les avoir protégés de l'invasion prussienne, en octobre 1870. Par cette construction, Pierre Bossan veut marier tous les styles d'architecture religieuse, ce qui donne à l'édifice son aspect inclassable. La mort de l'architecte oblige son collaborateur, Sainte-Marie-Perrin à poursuivre une œuvre qui, par manque de moyens financiers, demeurera inachevée.

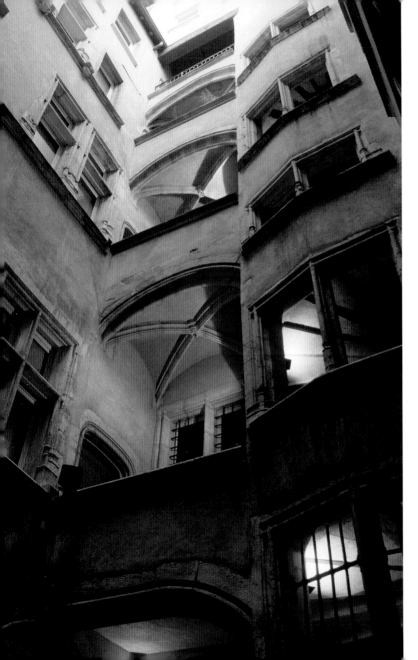

Cour avec galeries Renaissance
20 rue Juiverie.

*Courtyard with
Renaissance galleries.*

Escalier gothique
11 rue Saint-Jean.

Gothic staircase.

Ancien couvent dominant le Vieux-Lyon,
récemment transformé en hôtel de prestige.

*An ancient monastery overlooking the Old Lyon,
recently transformed into a luxury hotel.*

Au temps de l'exercice du pouvoir sur la ville par les nobles de l'Église, le « Chamarier » fait office de ministre de l'Intérieur auprès de l'archevêque et du Chapitre de Saint-Jean. La maison de ce haut dignitaire est située près de la cathédrale, à la limite nord de l'enceinte canoniale fortifiée. Cette maison, qui appartient aujourd'hui à la Ville de Lyon et dont la restauration est en cours, est sans doute l'un des exemples les plus remarquables des belles demeures lyonnaises de la Renaissance, révélant l'extrême raffinement qu'a pu atteindre l'architecture de ce temps-là.

Le Vieux-Lyon est presque entièrement constitué de ces riches maisons des XVe et XVIe siècles. La plupart d'entre elles ont pu être sauvées des démolitions envisagées, au siècle dernier, sous le prétexte d'assainir le quartier. Protégées et mises en valeur, elles restent bien vivantes, habitées par une population diverse, et visitées par de nombreux touristes.

At the time that the nobles of the Church had authority over the city, the "Chamarier" was the canon in charge of security for the Archbishopric and Saint John's Cathedral Chapter. The high official's house is located near the Cathedral, on the northern edge of the fortified cathedral complex. The house, now the property of the City of Lyon and currently undergoing restoration, is undoubtedly one of the most striking examples of Lyon's fine Renaissance townhouses, showing off the extraordinary refinement of the architecture of the period.

Old Lyon is almost entirely made up of the houses of the wealthy of the fifteenth and sixteenth centuries. Most of them were saved from the wrecking-ball during twentieth century slum-clearance programs. Now protected and set off to advantage, they live on, the diversity of their inhabitants equalled only by the numbers of tourists.

Toits du Vieux-Lyon.

Roofs in the Old Lyon.

31

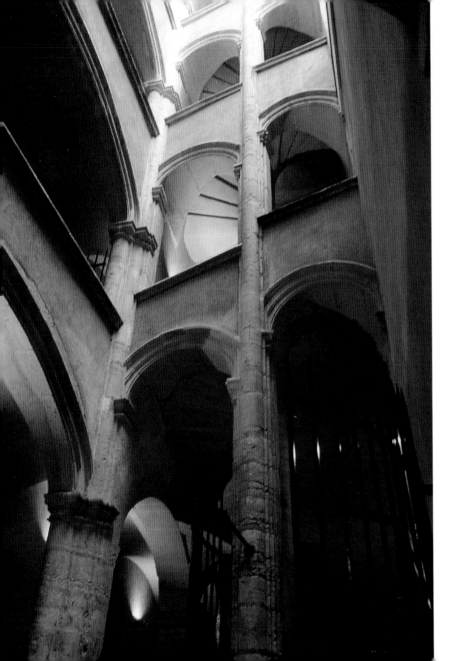

Traboule, cour, escalier
et galeries Renaissance
27 rue Saint-Jean.

"A traboule";
Renaissance courtyard,
staircase and galleries.

Étagement des maisons
sur la pente dominant
le quartier Saint-Georges.

*Tiers of houses on the slope
above the Saint George district.*

Une prouesse architecturale :
un escalier en vis à noyau décentré
10 rue Lainerie.

*An architectural feat: a spiral
staircase with off centered hub.*

Cour avec galerie sur trompes
8 rue Juiverie (arch. Philibert de l'Orme) :
concert de musique ancienne.

*Courtyard with gallery
supported by squinches;
a concert of ancient music.*

Du haut de la Grande Roue,
vue partielle sur le *Site historique de Lyon* :
la place Bellecour, la Presqu'île et les deux
collines que sépare le val sinueux de la Saône.

*From the top of the Ferris Wheel,
part of the Lyon Historic Site:
Place Bellecour, the Presqu'île, and the two
hills that separate the winding Saône valley.*

Rosace occidentale : détail.

The west rose window.

Gargouilles de la façade occidentale :
l'aigle de saint Jean et le lion de saint Marc.

*Gargoyles on the west side: the eagle
of Saint John and Saint Mark's lion.*

La cathédrale Saint-Jean vue de l'esplanade de Fourvière.

Saint John Cathedral from the esplanade at Fourvière.

37

La rive gauche de la Saône

Sur la rive gauche de la Saône, urbanisée dès l'époque gallo-romaine, vivait une population constituée essentiellement d'artisans et de commerçants pour qui les conquérants font construire un vaste amphithéâtre où sont proposés des spectacles populaires : combats d'animaux et de gladiateurs, mais aussi martyres des premiers chrétiens.

Un palais, dont quelques vestiges sont aujourd'hui présentés au musée de la Civilisation gallo-romaine, accueillait les représentants des soixante « nations » gauloises (réparties dans les Trois-Gaules) que Lugdunum, la capitale, réunissait au mois d'août, le mois d'Auguste.

On the left bank of the Saône, a built-up area from the Gallo-Roman period onward, lived a population made up principally of craftsmen and tradespeople for whom the conquerors had a huge amphitheater built, where vast popular spectacles were put on: combats between animals and gladiators, as well as the martyrdoms of the earliest Christians.

A palace, remains of which can be seen at the Museum of Gallo-Roman Civilization, was where the representatives of the sixty Gaulish "nations" from the three parts of Gaul met in Lugdunum in August, the month of Augustus Caesar.

Un des points de vue remarquables
depuis la montée des Carmes-Déchaussés,
dans le Vieux-Lyon : la tour de la Part-Dieu,
loin sur la rive gauche du Rhône,
tend sa pointe de « crayon » entre les flèches
de l'église Saint-Nizier, sur la Presqu'île.

An unusual cityscape, seen from the
Montée des Carmes-Déchaussés
(Discalced Carmelites) in Old Lyon:
the Part-Dieu tower, far beyond the
left bank of the Rhône, shows the tip
of the "pencil" between the spires of
Saint-Nizier Church in the Presqu'île.

La cathédrale Saint-Jean
et la passerelle du Palais de Justice,
lancée sur la Saône dans les années 1980,
témoignent de la continuité
de la création urbaine.

Saint-John's Cathedral
and the Court-House Footbridge,
that crossed the Saône in the 1980s,
are witnesses to the continuity
of urban creation.

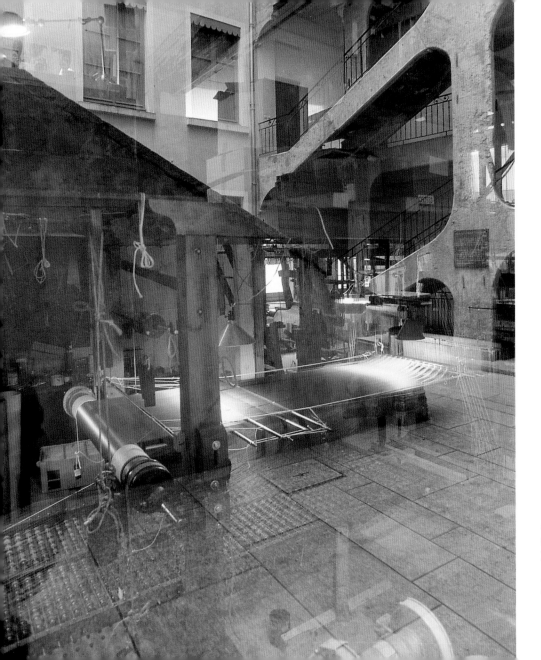

« Navettes » dans l'atelier d'un des derniers canuts,
ouvriers tisseurs de la soie, dont les révoltes, au XIXe siècle,
ont porté dans le monde une autre image de Lyon, ville prête
à « vivre en travaillant » ou à « mourir en combattant ».

Shuttles in the workshop of one of the last "canuts",
the silk-weavers whose uprisings in the nineteenth
century projected a different image of Lyon,
of a city ready to "live working" or "die fighting".

Cour des Voraces :
ancien immeuble atelier
pour le tissage de la soie.

Formerly a building of
silk-weaving workshops.

Comme sa voisine de l'autre rive de la Saône, la colline de la Croix-Rousse se couvre d'édifices religieux qui, à l'époque de la Révolution française, sont vendus comme biens nationaux et à la place desquels la bourgeoisie lyonnaise fait construire, tout au long du XIXᵉ siècle, de hauts immeubles ateliers, destinés au travail de la soie.

Souvent des traboules traversent ces hautes maisons entre lesquelles se faufilent les degrés de montées escarpées, ouvrant des points de vue remarquables sur la ville.

Like its opposite number on the other side of the Saône, the Croix Rousse hill was covered with religious buildings that were sold at the time of the French Revolution as holdings of the nation; in their place, throughout the nineteenth century, the Lyonnais bourgeoisie had tall buildings put up to house looms to weave silk.

"Traboules" often run through them, and stairways in the steep streets between the buildings provide vistas over the city.

The weavers' school, built between 1927 and 1933 by Tony Garnier, the Charterhouse building (seventeenth century) and the dome of Saint-Bruno's Church (Magnan and Delamonce, architects, seventeenth and eighteenth centuries), are examples of Baroque architecture in Lyon.

L'école de tissage, construite de 1927 à 1933 par Tony Garnier, la maison des Chartreux (XVIIᵉ siècle) et le dôme de l'église Saint-Bruno (arch. : Magnan et Delamonce, XVIIᵉ et XVIIIᵉ siècle), témoignage de l'architecture baroque à Lyon.

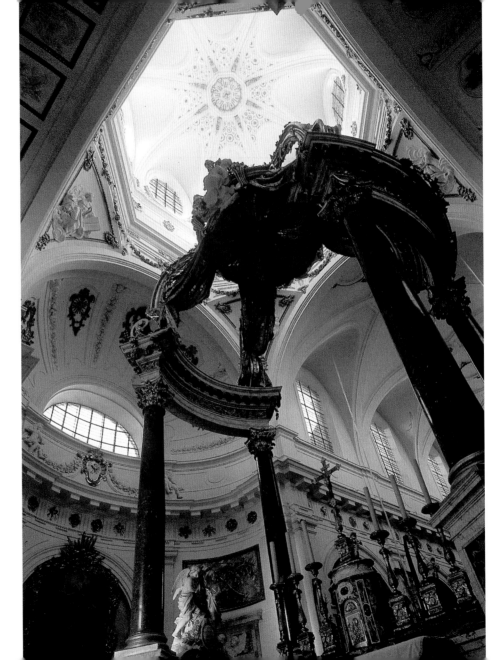

Église Saint-Bruno : le baldaquin de l'autel élevé par Servandoni sous la coupole édifiée par Delamonce et Soufflot.

Saint Bruno Church : The altar canopy (Servandoni) beneath the dome (Delamonce and Soufflot).

Pierre sculptée, reprise d'un édifice religieux démoli pour
être réemployée à la construction d'un immeuble atelier,
rue Imbert-Colomès.

*A carved stone, retrieved from a demolished religious
building and re-used in a workshop.*

La place du Forez et la façade
baroque de l'église Saint-Polycarpe
(arch. : Toussaint Loyer).

*Place Forez and the Baroque
facade of Saint Polycarpe's Church.*

Au sud de la colline de la Croix-Rousse, entre Saône et Rhône, la Presqu'île est le quatrième quartier du *Site historique de Lyon*. Bâti autour de son église, dédiée à Saint-Nizier, ce quartier de « bourgeois » reste longtemps en rivalité avec les seigneurs de l'autre rive : l'archevêque et les chanoines-comtes du chapitre de Saint-Jean.

South of the Croix Rousse hill, between the Rhône and the Saône, the Presqu'île is the fourth section of the Lyon Historic Site. This "bourgeois" neighborhood, built around Saint Nizier Church, was for a long time the rival of the nobility on the other shore: the Archbishop and the noble Canons of the Chapter of Saint John.

Cage d'escalier monumentale dans l'ancien couvent des Feuillants (XVIIe siècle) restauré et transformé en logements.

Monumental staircase in what used to be the Feuillants monastery (17th century), now restored and converted into housing.

Le palais des Beaux-Arts, aménagé dans l'ancien cloître des Dames de Saint-Pierre (arch. : Royer de la Valfenière, XVIIe siècle).

The Fine Arts Museum, built in the former cloister of the Ladies of Saint Pierre.

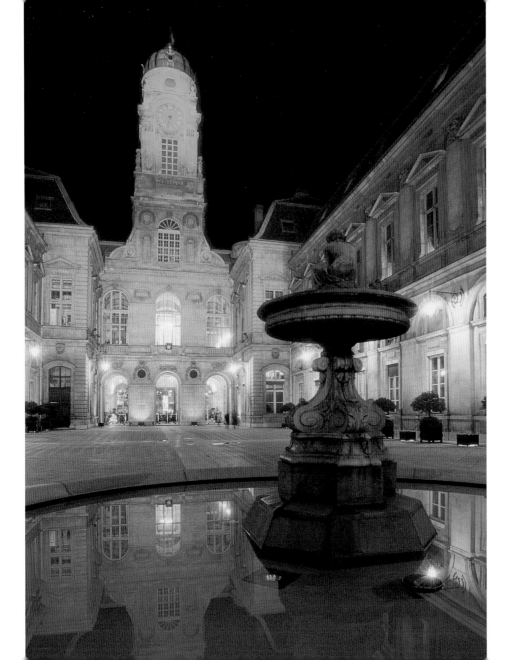

L'Opéra (arch. : Antoine-Marie Chenavard,
XIX⁰ siècle et Jean Nouvel, XX⁰ siècle).

*The Opera
(architects: Antoine-Marie Chenavard,
in the 19th century, and
Jean Nouvel, in the 20th).*

Cour haute de l'Hôtel de Ville,
« habillée » de bleu lors d'une
Fête des Lumières.

*The upper courtyard in the City Hall,
"clad" in blue for the Festival of Light.*

Bookstalls.   Bouquinistes, quai de la Pêcherie.

L'église Saint-Nizier,
vue depuis la place du Change,
dans l'axe de l'ancien pont de pierre
reliant la Presqu'île au Vieux-Lyon.

Saint Nizier Church from the Place du Change,
along the line of where the stone bridge that
linked Old Lyon with the Presqu'île used to be.

Quai des Célestins and
the Courthouse Footbridge.

Le quai des Célestins et la
passerelle du Palais de Justice.

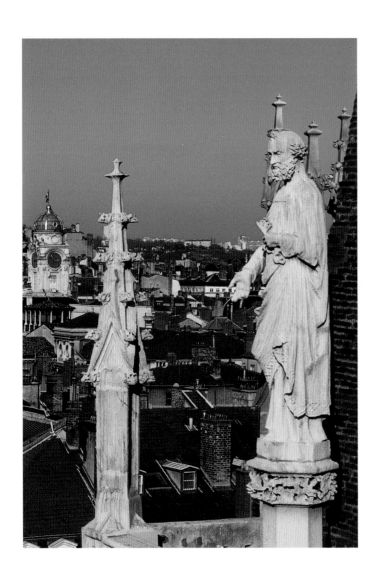

Eglise Saint-Nizier : Saint Pierre et sa clé,
au pied de la flèche septentrionale de l'église ;
la mère de la Vierge (détail de la façade occidentale) ;
la croisée du transept.

Saint Nizier Church: Saint Peter and his key
at the foot of the north spire of the church;
the mother of the Virgin
(detail from the west facade):
the transept crossing.

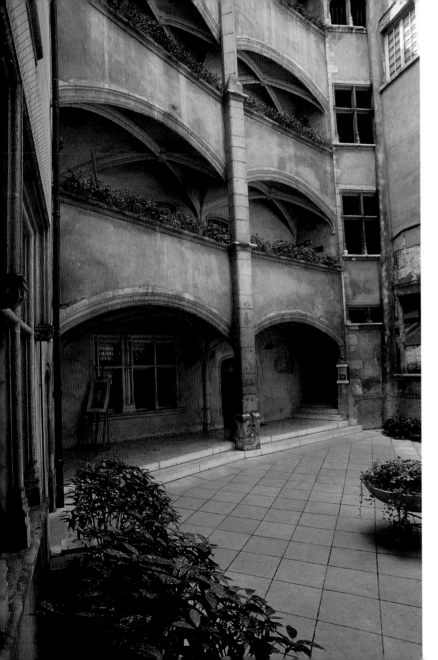

C'est là, qu'à partir du XVIIe siècle, la bourgeoisie lyonnaise constitue sa puissance, une puissance toujours affirmée avec une certaine retenue, mais qui se donne tout de même à lire dans quelques constructions monumentales comme l'Hôtel de Ville, le palais Saint-Pierre et son cloître, qui hébergeait les religieuses descendant de riches familles, la chapelle de La Trinité de l'unique collège dont la ville se contenta longtemps, l'Hôtel-Dieu considérablement agrandi par Jacques-Germain Soufflot, puis le Palais du Commerce, où siégeait la Bourse, et encore l'Opéra et le théâtre des Célestins.

Here it was that the Lyon bourgeoisie built up its power, a power always asserted with restraint, but that can be read in some of the major buildings, such as the City Hall, the Palais Saint Pierre with its cloister, inhabited by nuns descended from wealthy families, Trinity Chapel in the single college that the city for many years made do with, the Hotel Dieu Hospital, considerably enlarged by Jacques-Germain Soufflot, not to mention the Trade Building, where the Stock Exchange was located, and again the Opera and the Celestine Theater.

Cour de l'ancien hôtel de la Couronne, premier Hôtel de Ville, actuel musée de l'Imprimerie : Lyon fut un des premiers grands foyers européens d'édition de livres.

Courtyard in the old Crown House, the first City Hall, now the Printing Museum: Lyon was one of the first great centers of book publishing.

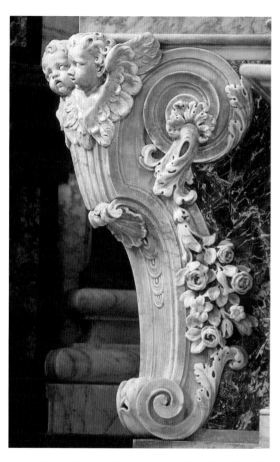

Chapelle de La Trinité (arch. : Père Martellange) :
nef et détail de l'autel du XVIIe siècle.

*Trinity Chapel : nave and detail
of the 17th century altar.*

La Presqu'île et le Vieux-Lyon
depuis les hauteurs de la Croix-Rousse,
un matin d'hiver : la Saône (en bas, à gauche)
s'apprête à rejoindre le Rhône (en haut, à droite).

*The Presqu'île and Old Lyon seen from
the top of the Croix-Rousse on a
winter morning; the Saône (lower left) is
about to empty into the Rhône (upper right).*

La fontaine de la place des Jacobins (arch. : Gaspard André),
érigée à l'emplacement de l'église du même nom,
honore quatre grands Lyonnais : l'architecte Philibert de l'Orme,
le sculpteur Guillaume Coustou, le graveur Gérard Audran
et le peintre Hippolyte Flandrin.

The fountain on the Place des Jacobins,
where the Jacobin Church once stood, honors four great Lyonnais:
the architect, Philibert de l'Orme, the sculptor Guillaume Coustou,
the engraver Gérard Audran and the painter Hippolyte Flandrin.

Le théâtre des Célestins
(arch. : Gaspard André)
comme « redessiné » par un artiste
lors d'une Fête des Lumières.

The Celestine Theater,
as if redesigned by an artist
for the Festival of Lights.

Palais du Commerce :
l'ancienne salle de la Corbeille
(arch. : René Dardel, XIXᵉ siècle).

*The trade Building
(R. Dardel, architect, 19th century)*

Dôme de la grande chapelle de l'Hôtel-Dieu
(arch. : Jacques-Germain Soufflot, XVIIIᵉ siècle).

*Dome of the main chapel in the Hotel Dieu Hospital
(Jacques-Germain Soufflot, architect, 18th century).*

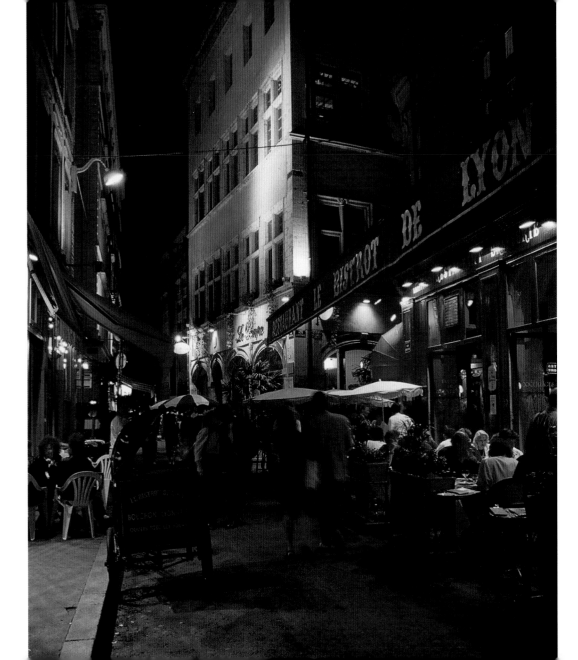

Partie de la rue Mercière
ayant échappé à « la boule »
des démolisseurs au cours
des années 1960-1970.

A section of the rue Mercière
that escaped the wrecking ball
in the 1960s and 70s.

La Grande Roue, installée au centre de la ville.

The Ferris Wheel at the center of the city.

Entre Saône et Rhône,
la place Bellecour offre son vaste espace
à toutes sortes de manifestations.

Between Saône and Rhône,
Place Bellecour provides an enormous
space for every kind of event.

Porte cochère
29 place Bellecour.

Carriage entrance.

71

Le musée des Tissus, dans l'hôtel de Villeroy
(ancien siège du gouvernement de la ville),
rue de la Charité : la grille de l'entrée
et l'escalier d'honneur.

The Fabric Museum, in the Hotel Villeroy
(formerly the seat of the city government),
rue de la Charité: the entrance gate
and the main staircase.

L'abbaye d'Ainay accueillait les
rois de France de passage à Lyon.
La basilique romane est un des
plus anciens édifices de la ville.

Ainay Abbey lodeged the kings of France
when they were going through Lyon.
The Romanesque basilica is one of
the oldest buildings in the city.

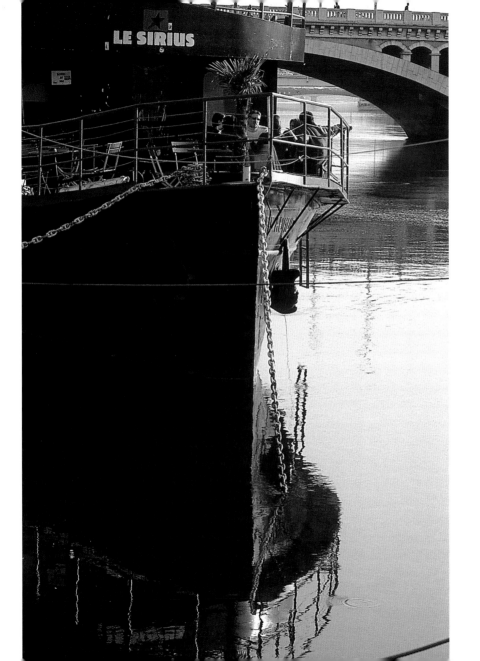

La rive gauche
du Rhône

Trop à l'étroit à l'intérieur de ses limites, la ville s'étend, à partir du XIXe siècle, sur la rive gauche du Rhône, annexant bientôt le faubourg de la Guillotière, multipliant les ponts pour favoriser les échanges avec les quartiers plus anciens.

Cette « marche vers l'est », caractéristique du développement de Lyon, continue tout au long du XXe siècle avec notamment, près des Brotteaux, l'aménagement d'un centre administratif et commercial à la Part-Dieu, sur le site d'une ancienne caserne de Cuirassiers.

Aujourd'hui, l'extension se poursuit vers le sud, reconvertissant les quartiers industriels de Gerland, tandis qu'un imposant projet de réaménagement de friches, à l'extrémité méridionale de la Presqu'île, tout près du Confluent, est en cours de réalisation.

Cramped in its geographical confines, starting in the nineteenth century the city spread onto the left village of la Guillotière and building more bridges to favor exchanges with the older districts.

This "march toward the east" became a characteristic of Lyon's development, and continued throughout the twentieth century, including among other things the conversion of a former cavalry camp into an administrative and commercial complex at the Part Dieu.

Today's expansion is toward the south, with new developments under way in the industrial district of Gerland as well as an ambitious project to restructure the unused land at the southern end of the Presqu'île, where thetwo rivers flow together.

La Cité internationale (arch. : Renzo Piano XXᵉ - XXIᵉ siècle),
abrite le palais des Congrès, le musée d'Art contemporain,
un complexe cinématographique, deux grands hôtels,
ainsi que des logements et des bureaux.

The International Complex (Renzo Piano, architect, 20th & 21stcenturies)
includes a Convention Center, a Contemporary Art Museum,
a cinema multiplex, two major hotels, together with dwellings and offices.

Le parc de la Tête-d'Or, créé au milieu du XIXe siècle par les frères Bühler,
des paysagistes suisses, offre le calme de ses jardins à l'anglaise,
la magnificence de sa grille monumentale et de ses grandes serres.

*The Tête d'Or (Golden Head) Park, created in the mid-nineteenth century
by the Bühler brothers, Swiss landscape architects, brings together the quiet
of its English-style gardens and the magnificence of its monumental
gateway and its great greenhouses.*

L'ancienne gare des Brotteaux
(arch. : Stéphane d'Arbaut),
un monument reconverti pour
accueillir une salle des ventes,
des bureaux et plusieurs restaurants.

The disaffected Brotteaux railroad station,
a historical monument refurbished
to house an auction hall,
offices and several restaurants.

Les « tours roses » de Lyon illustrent l'évolution
singulière de l'architecture de la ville,
depuis la Renaissance jusqu'au XXᵉ siècle.

Lyon's "pink towers" illustrate the unusual
evolution of the city's architecture from the
Renaissance through the 20th century.

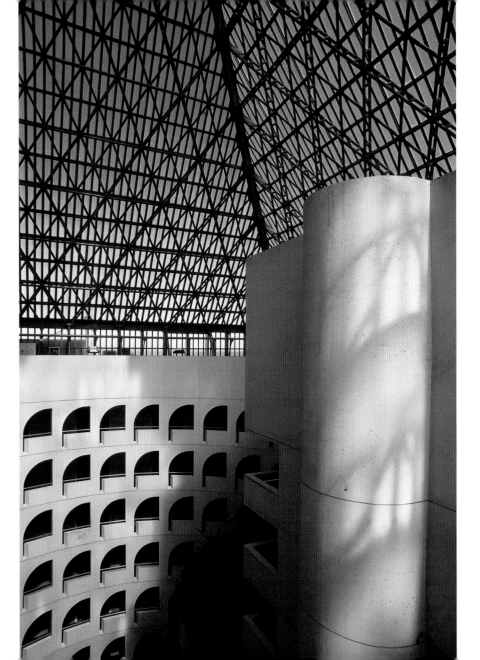

Cour intérieure à galeries
(clin d'œil à la Renaissance)
et verrière du grand hôtel installé
au sommet de la tour de la Part-Dieu
(arch. : Araldo Cossuta).

The indoor galleried court
(a nod to the Renaissance)
and skylight in the luxury hotel
at the top of the tower
in the Part Dieu.

Cour intérieure d'un immeuble contemporain
233 cours Lafayette, érigé pour le Groupe d'assurances
Axa (arch. : Curtelin et Ricard).

The indoor courtyard of the contemporary
Axa Insurance building at 233 cours Lafayette.

Un escalier moderne en vis
dans le centre commercial
(arch. : Alain Provost).

A modern spiral staircase
in the shopping mall.

Le XXI⁰ siècle sera à Lyon celui de la réappropriation
de ses fleuves par ses habitants.

Un vaste chantier a su déjà transformer les bas ports
de la rive gauche du Rhône, jusque-là voués à n'être
que des parcs pour les voitures, en une longue aire de
promenade et de loisirs divers, permettant aujourd'hui
de traverser toute l'agglomération « au fil de l'eau ».
Bientôt, les rives de la Saône devraient, à leur tour,
bénéficier d'une mutation comparable, respectueuse
du caractère particulier des bords de ce « fleuve ».

*The twenty-first century will be remembered as the time
when the Lyonnais took back their rivers.*

*A huge undertaking has already transformed the left
bank of the Rhône, which had hitherto been given over
to parking lots, into a long zone for walks and various
other leisure activites, such that it is now possible to
go from one end of the city to the other along the water.
It is planned that the banks of the Saône will soon
undergo a similar transformation, taking account of
the specificities of the banks of the river.*

Lyon, ville des frères Lumière, de la photographie et du cinématographe, ville de toutes les lumières, offre aux gens d'images la chance de pouvoir saisir en toute saison les plus infimes vibrations de la lumière du jour.
Cadeau ultime, mais pas le moindre, Lyon donne de la lumière à la nuit même, métamorphosant les architectures par la magie d'artistes qui ont su éclairer nombre de ses édifices avant d'exporter leur talent à travers le monde.

Lyon, the city of the Lumière brothers, and of photography and the cinema, the city of every kind of light, gives "picture people" an opportunity to grasp in each season the slightest vibrations of the light of day.
The last gift, but not the least: Lyon gives light even at night, transforming architecture by the magic of artists that have lit up numerous buildings before they took their talents out to the rest of the world.

Un patrimoine
vivant

Flâner dans Lyon, c'est traverser les siècles, c'est aussi parcourir des lieux vivants et attachants. La ville se révèle comme un constant décor sur le fond duquel se déroule la vie quotidienne. Il faut parler ici de « scènes » de marchés : sur les quais de la Saône ou du Rhône, à la Croix-Rousse, à Monplaisir, aux Etats-Unis, la balade visuelle est toujours agrémentée d'émotions sonores et olfactives.

Une très ancienne tradition de foire a été récemment reprise et colore, un dimanche par an, en septembre, la place Saint-Jean (là où elle se tenait autrefois) ainsi que les abords de la cathédrale. Sur cette « Foire aux Tupiniers », dont le nom fait surgir la toupie des enfants et recrée le tour (la « tupine ») des artisans d'hier, de véritables créations rivalisent de finesse et d'originalité.

Wandering around Lyon means rambling back through the centuries, as well as going through lively and engaging places. Heritage turns out to be the permanent backdrop of everyday life. So it is with the street "scenes" of the open-air markets, along the river banks of Saône and Rhône, in the Croix-Rousse, or Monplaisir, the Etats-Unis, where the visual junket is rounded out with the emotions of sounds and smells.

An ancient tradition of fairs has recently been rekindled and colors one September Sunday each year on the Place Saint Jean, where fairs used to be held, and around the feet of the cathedral. In this "Twirlers' Fair" (Foire aux Tupiniers), whose name calls up images of a child's top or the craftsman's lathe of yesteryear, genuine creations vie with one another in refinement and originality.

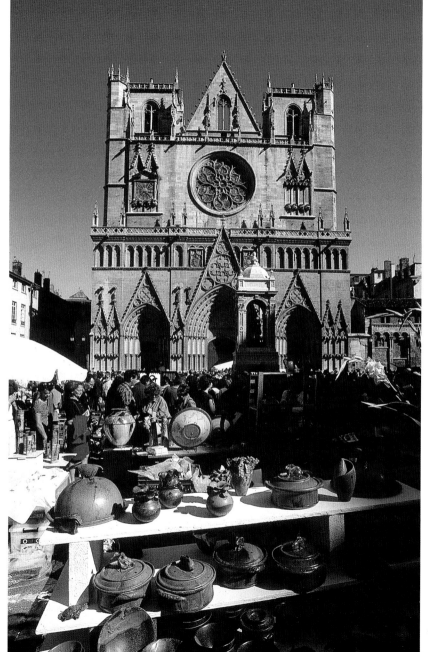

*The new architecture of the Grand Bazar,
the first Lyonnais department store,
Place des Cordeliers: registering Lyon as
a UNESCO World Heritage site has not
prevented contemporary creation.*

Place des Cordeliers, le Grand Bazar,
premier grand magasin lyonnais,
dans sa nouvelle architecture, signée
Jean-Pierre Buffi et Philippe de Fouchier :
l'inscription de Lyon au Patrimoine mondial
n'interdit pas la création contemporaine.

*The open-air food market on quai Saint-Antoine
and quai des Célestins "converses" on Sundays with
the Crafts & Creations Market across the river (p 92),
or the Booksellers Market on the quai de la Pêcherie (p 54).*

Le marché alimentaire des quais Saint-Antoine et des
Célestins « dialogue », le dimanche, avec celui de la Création,
sur le quai opposé (page 92) ou celui des Bouquinistes,
sur le quai de la Pêcherie (page 54).

Chaque saison est, du reste, l'occasion de proposer des fêtes, qui prolongent les « Entrées royales » d'une époque où Lyon, capitale de la soie, était aussi la favorite des princes.

C'est dans le Vieux-Lyon qu'un dimanche de septembre 1992, chantèrent et dansèrent les nombreux acteurs bénévoles de la « Fête espagnole » qui, pour la première fois, accompagnait la « Biennale de la Danse ». Deux ans plus tard, on célébrait ici « Mamma Africa » et, depuis, la fête a imité le développement historique de Lyon, le défilé gagnant la Presqu'île et même les bords du Rhône, du côté de « l'empire ». Les milliers de danseurs et de musiciens proviennent de toute l'agglomération et même de la région environnante. Ils se sont exercés pendant de nombreux mois avant de proposer cette parade unique, haute en couleurs. Ce jour-là, des Terreaux à Bellecour, on peut dire que Lyon a rendez-vous avec le monde.

Each season is, in fact, an opportunity for splendid festivities, that recall the "Royal Visits" of a period when Lyon, the silk capital, was also a favorite of Princes.

It was in the Vieux Lyon that one Sunday in September of 1992 the myriad volunteer actors and dancers in the "Spanish Festival" accompanied for the first time the Dance Biennial. Two years later, Mama Africa was feted here, and since then, the festival has reflected the historic development of the city, with parades reaching into the Presqu'île, and even the further bank of the Rhône, on the Empire side. Thousands of dancers and musicians come from all of Greater Lyon, having practiced for months before putting on this uniquely colorful exhibition. That day, from the Place des Terreaux to the Place Bellecour, Lyon can be said to have an appointment with the world.

Le défilé de la Biennale de la danse.

The parade for the Biannual dance festival.

D'autres rendez-vous attendent ceux qui viennent découvrir notre ville.

Reprenant et amplifiant des festivités antérieures, qui reprenaient elles-mêmes la tradition théâtrale apportée ici par les Romains, les « Nuits de Fourvière » offrent, chaque été, des spectacles réunissant les arts de la scène et de l'écran - n'oublions pas que c'est à Lyon qu'est né le cinématographe ! La « Biennale de la Danse » alterne avec celle de « l'Art contemporain » (photo page 39) et se voit désormais précédée de celle des « Lions », laquelle invite notre ville à « se lier » à d'autres villes du monde : Turin, Québec, Le Cap...

Other meetings are in store for whoever come to discover our city.

Taking up and building on previous festivities that themselves grew out of theatrical traditions brought here by the Romans, the "Nights on Fourvière" offer up each summer shows that bring together the arts of the stage and of the screen - let it not be forgotten that the cinematograph was born in Lyon! The Dance Biennial alternates with that for Contemporary Art, and is now preceded by Lion-Tyin', which encourages our city to "connect up" with other cities in the world, like Torino, Quebec, and Capetown.

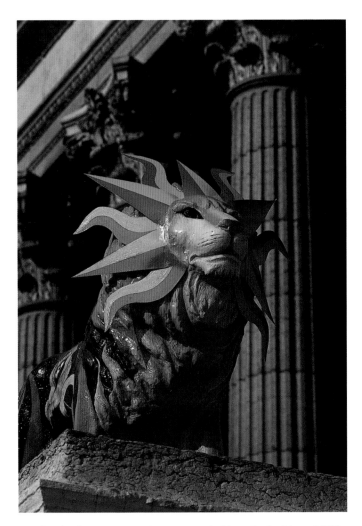

The Third Lions Biennial: creations by Aurélie Lacerre and Tomoriki Takahashi in front of the old Court-House.

3ᵉ Biennale des Lions (2008) : créations d'Aurélie Lacerre et de Tomoriki Takahashi devant le Palais de Justice historique.

La musique n'est pas absente, avec les créations, souvent mondiales, de l'Opéra et celles de l'Orchestre National de Lyon, L'ONL qui est, avec l'OL (le football est devenu roi aussi), notre principal ambassadeur dans de nombreux pays. C'est dans le cadre du Festival de Musique du Vieux-Lyon, aujourd'hui installé dans la chapelle magnifiquement restaurée de la Trinité, que fut révélé le talent d'une jeune violoncelliste lyonnaise, applaudie alors dans l'ancien réfectoire des Bénédictines de Saint-Pierre. Depuis, le monde entier apprécie le vibrato singulier d'Anne Gastinel.

Music is never far, with premiers, often for the whole world, at the Opera and the Lyon National Orchestra, which has become, along with the Lyon pro soccer team Olympique Lyonnais, our main ambassador in numerous countries.
The Vieux-Lyon Music Festival, now housed permanently in the magnificently restored Trinity Chapel, was the venue in which the talents of a young cellist from Lyon were first revealed, in what had been the refectory of the Benedictines of Saint Peter. Since then, the whole world has come to appreciate Anne Gastinell's highly personal vibrato.

Concert at Trinity Chapel (Lyon Ancient Music Festival, under the direction of Eric Desnoues) and at the big Roman theater (Lyon National Orchestra, "Fourvière Nights").

Concerts à la Chapelle de la Trinité (Festival de Musique Ancienne de Lyon, direction : Éric Desnoues) et au grand théâtre romain (Orchestre National de Lyon aux « Nuits de Fourvière »).

N'oublions pas la lumière, ou plutôt les lumières. La tradition nous vient de la toute première illumination de la ville, dans une démarche spontanée de ses habitants, le 8 décembre 1852. Ce jour-là était inaugurée, sous une pluie battante, la grande statue dorée de la Vierge qui trône sur Fourvière. Cette tradition, longtemps limitée à l'installation de lumignons devant les fenêtres des maisons, a conduit à l'organisation d'un nouveau festival : la Fête des Lumières. À chaque entrée dans l'hiver, des artistes proposent des créations lumineuses originales, tandis que la Ville inaugure la mise en lumière pérenne d'édifices majeurs. Année après année, le paysage nocturne s'enrichit, invitant à une incessante redécouverte de Lyon.

C'est ainsi que l'antique Lugdunum poursuit son développement, prépare son avenir, créant des quartiers nouveaux sur des friches industrielles, valorisant son patrimoine, y inscrivant les activités de tous les jours comme les moments festifs, autant d'occasions de rencontres et de partage avec le monde.

Let us remember the light, or rather the lights. The tradition grew out of the first time our city was thus lit up, in a spontaneous outpouring of the inhabitants on December 8, 1852, when the tall gilded statue of the Virgin on the Fourvière Basilica was inaugurated in a drenching rainstorm. The tradition, which for many years meant little more than putting twinkling candles on the windowsill, has today become a new festival, called the Festival of Light. It provides an opportunity every December for major artists to put on original light shows, and for the City to usher in new permanent lighting for various major buildings. The nightscape, constantly changing, makes possible a magical re-discovery of Lyon.

Thus it is that Lyon is in continual development, preparing for the future, making new neighborhoods out of industrial wastelands, all the while looking after its heritage and pushing it to the fore, by making over everyday activities into festive moments, that are also times for meeting and sharing with the world.

La place des Terreaux
métamorphosée par Skertzo, en 2002.
(photo ci-contre et page 106)

*Place des Terreaux
transformed in 2002 by Skerzo.*

Page 107 et suivantes :
Overleaf

La Part-Dieu, la nuit.
La Part-Dieu by night.

« Nature Mature », rive gauche du Rhône,
par François Magros (2004).
"Mature Nature", left bank of the Rhône.

« Pêcheurs d'étoiles », près de l'Opéra,
par Carole Ferreri, Akari, Lisa Hishii (2007).
"Star Fishers" near the Opera.

« Les diamants de la colline de Fourvière »,
par la Direction de l'Éclairage public (2004).
*"The Diamonds of Fourvière",
Public Lighting Authority (2004).*

La Cité Internationale par les artistes
« la Média Composites » (2000).
*The International Complex by the
artists "la Média Composites".*

« I love Lyon », place Bellecour,
par Jacques Rival (2007).

Dans la même collection
ALPES-MARITIMES *les Alpes d'azur*
VAR *la Provence d'azur*

Achevé d'imprimer en septembre 2008
Dépôt légal : 4e trimestre 2008